Ce livre
appartient à:
Léa - Pelissero
offert par:
papa et maman

D0717149

RETROUVEZ *OUI-OUI*
DANS LA MINI-ROSE

Bravo, Oui-Oui!
Oui-Oui à la ferme
Oui-Oui à la fête
Oui-Oui à la plage
Oui-Oui au pays des jouets
Oui-Oui champion
Oui-Oui chauffeur de taxi
Oui-Oui décroche la lune
Oui-Oui et la girafe rose
Oui-Oui et la voiture jaune
Oui-Oui et le cerf-volant
Oui-Oui et le kangourou
Oui-Oui et le lapinzé
Oui-Oui et le Père Noël
Oui-Oui et les ours en peluche
Oui-Oui et les trois lutins
Oui-Oui et le vélo-car
Oui-Oui et M. Grosminou
Oui-Oui fait les courses
Oui-Oui marin
Oui-Oui part en voyage
Oui-Oui s'envole
Oui-Oui va à l'école
Les vacances de Oui-Oui
Oui-Oui et le clown mécanique
Oui-Oui voit du pays

Enid Blyton

Oui-Oui et le Père Noël

Illustrations de Jeanne Bazin

L'ÉDITION ORIGINALE DE CET OUVRAGE
A PARU EN LANGUE ANGLAISE
CHEZ SAMPSON LOW, MARSION & Co, L.I.D, LONDRES
SOUS LE TITRE :
NODDY MEETS FATHER CHRISTMAS

Hachette, 79, boulevard Saint-Germain, Paris VIe

Chapitre 1

Une merveilleuse nouvelle

Un matin, le nain Potiron, très agité, vint frapper à la porte de son ami Oui-Oui, le petit bonhomme en bois.

« Tu es là, Oui-Oui ? Ouvre-moi vite ! »

Le petit pantin était chez lui. Il se précipita à la porte.

« Bonjour, Potiron ! Viens-tu m'inviter à déjeuner ?

— Non, mais j'ai une nouvelle extraordinaire à t'annoncer, répondit Potiron. Devine qui va nous rendre visite la semaine prochaine ?

— Tu sais bien que je ne trouve jamais les devinettes. Allez, dis-moi vite. Qui est-ce ?

— Le Père Noël ! Il doit venir en traîneau, tiré par quatre rennes. Et il passera une nuit chez mon frère Topinambour.

— Quel honneur ! s'écria Oui-Oui émerveillé. Mais pourquoi loge-t-il chez Topinambour ? Pourquoi pas chez toi, Potiron ?

— Je vais t'expliquer :

Topinambour a habité pendant longtemps au château du Père Noël. Il sait très bien faire les paquets, et c'est lui qui remplissait la hotte du Père Noël. Il parvenait à y mettre des milliers de paquets

— Des milliers de paquets! s'exclama Oui-Oui. En attendant, nous sommes toujours sur le pas de la porte, ajouta-t-il. Entre donc. Je vais te servir une tasse de cacao et des petits-beurre. Nous pourrons bavarder de tout cela tranquillement. Est-ce que je le verrai, moi aussi, le Père Noël?

— J'espère que ce sera

possible, répondit Potiron en entrant dans la maison. Oh! là! là! On ne peut pas dire que ta chambre soit très bien rangée. Tu vas la mettre en ordre avant l'arrivée du Père Noël, j'espère. Il est le roi du Pays des Jouets, et c'est un grand honneur pour nous de recevoir sa visite.

— Bien sûr! approuva Oui-

Oui en agitant sa petite tête à ressort, ainsi qu'il le faisait toujours pour dire oui. Ne t'inquiète pas. Je préparerai tout pour son arrivée. Tu verras : j'astiquerai si bien ma voiture que le Père Noël pourra se regarder dedans comme dans un miroir. »

Ils se mirent à table pour boire leur cacao et manger des biscuits.

« Mon frère Topinambour est un grand ami du Père Noël, déclara Potiron. Il est très ému à l'idée de le recevoir chez lui pour une nuit. C'est ainsi une fois par an : le Père Noël vient faire une tournée chez nous pour inspecter les jouets qu'il donnera aux enfants.

— Alors, il va traverser la ville! Nous le verrons passer dans son traîneau! s'écria Oui-Oui. Je prendrai deux mouchoirs bien blancs, un dans chaque main, et je les agiterai de toutes mes forces.

— Maintenant, écoute-moi, dit Potiron. J'ai prévu quelque chose qui te fera sûrement plaisir.

— Que tu es gentil, Potiron! Qu'est-ce que c'est? demanda Oui-Oui en secouant la tête comme un petit fou.

— Voilà : Topinambour m'a invité à dîner avec le Père Noël. Tu n'auras qu'à me conduire chez lui dans ta voiture. Comme cela, tu pourras certainement apercevoir le Père Noël. »

Oui-Oui en dégringola presque de sa chaise.

« Oh ! Potiron ! C'est une idée merveilleuse. Tu verras, ma voiture sera tout simplement extraordinaire. Quel bonheur !

— Je savais que cela te ferait plaisir, fit Potiron avec un grand sourire. Tu es un gentil petit bonhomme en bois qui travaille bien. toute l'année. Tu mérites une récompense.

— Je t'attendrai dehors avec ma voiture et je te reconduirai chez toi après le dîner, dit Oui-Oui.

— Merci, répondit Potiron. Maintenant, je vais aller me commander un nouvel habit. Il faut que je sois tiré à quatre épingles pour dîner avec le Père Noël. »

Chapitre 2

On prépare le grand jour

Oui-Oui conduisit son ami chez Mlle Sidonie, la couturière. Mlle Sidonie prit les mesures de Potiron pour lui confectionner un habit et une belle cape rouge. Quand elle apprit la grande nouvelle, elle ne tint plus en place.

« Est-ce que Oui-Oui aura aussi de nouveaux vêtements ? demanda-t-elle.

— Non, répondit Potiron. Il n'est pas invité à dîner avec le Père Noël, lui. C'est sa voiture qui sera tout habillée de neuf, car il doit me conduire chez Topinambour. Il va la repeindre et l'astiquer jusqu'à ce qu'elle soit étincelante.

— Oh ! oui ! Vous allez voir comme je vais la frotter ! s'écria Oui-Oui. Et ton chat, Potiron ?

— Je pense qu'il pourrait porter un nouveau ruban. Peut-être aussi un nœud sur la queue. La dernière fois que j'ai organisé une soirée chez moi, il en avait mis six. Mais je crois que cela fait quand même trop. Avez-vous fini de prendre mes mesures, mademoiselle Sidonie ?

— Oui, ça y est. Dis-moi, Potiron, tu me parais un peu rondelet. C'est dommage. Je ne voudrais pas que ton habit ait l'air trop serré.

— Ce n'est pas dommage du tout, répliqua Potiron. Mon frère Topinambour est aussi rondelet que moi. Quant au Père Noël, il est si gros que son ventre tremble chaque fois qu'il rit. Pourtant, il est très gentil.

— Dis, Potiron, est-ce que je ne pourrais pas devenir un

peu plus rondelet, moi aussi ? demanda Oui-Oui. J'aimerais bien être comme toi.

— Alors il faut que tu attendes d'avoir cent ans comme moi, répondit Potiron en riant. Bon. C'est bien fini cette fois, mademoiselle Sidonie ? Pouvez-vous me livrer l'habit et la cape mardi prochain ? Mon dîner a lieu mercredi. Maintenant, je me sauve. Au revoir. »

Les jours suivants, Oui-Oui se mit sérieusement à l'ouvrage. Il commença par laver ses vêtements. Pendant qu'ils séchaient, il déambula dans une vieille robe de chambre que lui prêta

Mme Bouboule, sa voisine, l'ourse en peluche. Il était superbe là-dedans.

Puis Mme Bouboule lui repassa ses vêtements. Elle ne voulut pas le laisser faire : distrait comme il était, il risquait de les brûler.

Enfin, elle recousit un de ses boutons et lui acheta une paire de lacets bleus tout neufs. Oui-Oui était ravi.

« En fait, je crois que le Père Noël ne me verra même pas, dit-il. Mais on ne sait jamais. Je préfère être propre et bien habillé au cas où il m'apercevrait. Je pense que cela vaut mieux, n'est-ce pas, madame Bouboule ? »

Ensuite, Oui-Oui repeignit sa voiture en rouge et jaune. Il l'astiqua à fond une fois, puis une seconde fois. La voiture était stupéfaite.

« Tut ! Tut ! fit-elle d'une petite voix inquiète.

— N'aie pas peur. Je n'ai pas l'intention de te vendre, lui dit Oui-Oui en recommençant à l'astiquer. Nous allons seulement avoir la visite de quelqu'un de très, très important !»

Soudain, Oui-Oui sentit une petite chanson lui venir à l'esprit. Il se mit à frotter sa voiture en cadence en chantant à tue-tête.
Mme Bouboule apparut sur le pas de sa porte pour l'écouter.

Ho !
Quelqu'un de très important
Va venir nous voir, mes enfants.
Il est ventru, joufflu,
Tout de rouge vêtu.
Ses yeux brillent gentiment,
Et sa barbe d'argent

Est semée de flocons blancs.
Sa hotte est pleine jusqu'en haut
De jouets et de cadeaux,
Et de bonbons enveloppés
Dans du papier doré.
Ho!
Devinez qui est notre invité.
Vous le verrez bientôt
Arriver dans son traîneau.
Si vous avez deviné,
En chœur chantez la ritournelle :
« Vive le Père Noël! »

Mme Bouboule ne put s'empêcher d'applaudir. Elle était enthousiasmée.

« Je me demande toujours comment tu fais pour inventer des chansons comme cela, en un rien de temps, dit-elle.

— Ce n'est pas bien difficile, répondit Oui-Oui. Je les sens venir, tout d'un coup. Je n'ai plus qu'à chanter.

— Recommence, pria Mme Bouboule. Quand tu feras *Ho !* et *Vive le Père Noël !* je chanterai avec toi. Tiens, regarde : voilà M. Culbuto, Mlle Chatounette et M. Jumbo qui arrivent. Et voilà aussi mon mari, et puis Léonie Laquille ; ils t'ont entendu et ils viennent t'écouter. Allez, vas-y ! »

Oui-Oui prit sa respiration, entonna de nouveau sa chanson et se remit en même temps à frotter en cadence.

Il frottait et chantait si bien que tous se sentirent soudain l'envie de chanter avec lui. Si vous aviez pu les entendre lancer en chœur : *« Vive le Père Noël ! »*

Juste à ce moment, Potiron passait à bicyclette. Quand il entendit ce tintamarre, il faillit en perdre l'équilibre.

« Qu'est-ce que c'est que ce vacarme ? marmonna-t-il. Tiens ! J'aperçois Oui-Oui qui astique sa voiture au milieu d'une foule de gens. »

Bien sûr, on voulut lui faire écouter la nouvelle chanson de Oui-Oui. Ils reprirent donc tous en chœur en criant très fort : *« Ho ! »* et plus loin : *« Vive le*

Père Noël!» C'était magnifique

« Eh bien, ce n'est pas mal du tout! s'exclama Potiron. Vous devriez venir la chanter devant la fenêtre de Topinambour pendant que nous dînerons avec le Père Noël.

— Voyons, Potiron, ce n'est qu'une petite chanson sans importance! répliqua Oui-Oui. Elle m'est montée à la tête et je n'ai plus eu qu'à ouvrir la bouche pour la chanter. »

Potiron insista : il fallait absolument faire connaître cette chanson au Père Noël.

« Mais, tu sais, elle est faite pour être chantée en astiquant, dit Oui-Oui. Je l'ai inventée pendant que je frottais ma voiture.

— Ne dis pas de bêtises, Oui-Oui. On peut très bien la chanter sans astiquer quoi que ce soit, répliqua Potiron, très fier de son ami. Au fait, je viens d'essayer ma cape. Elle est somptueuse. Si tu la voyais... Elle est très longue et traîne derrière moi de manière superbe.

— Cela n'a rien d'extraordinaire, répliqua Mlle Chatounette. Ma queue traîne toujours derrière moi. A propos, je vais lui faire faire un shampooing spécialement pour mercredi. Je crois même que je la ferai friser.

— J'aimerais bien aussi avoir la queue frisée, dit M. Jumbo, l'éléphant. Mais ce n'est pas possible. Ça ne fait rien. J'y mettrai un beau ruban. »

Quel plaisir de se préparer

ainsi pour la venue du Père Noël ! Jamais Miniville n'avait été si animé depuis des années.

Chapitre 3

Vive le Père Noël!

Le grand jour arriva enfin. Le soleil brillait et de petits nuages blancs, presque immobiles, étaient éparpillés dans le ciel. De très bonne heure, tout le monde était déjà debout.

Oui-Oui alla astiquer une dernière fois sa voiture. Magnifique! Elle semblait neuve. Puis il noua un gros ruban sur le devant, juste au milieu du pare-chocs.

« Tut! Tut!» fit la petite voiture ravie.

Oui-Oui enleva la vieille blouse qu'il avait enfilée pour faire son travail. Puis il se lava et s'habilla. Il avait même astiqué le grelot de son bonnet. Il s'agitait comme un petit fou et le grelot tintait gaiement. Diling! Diling!

Il fallait dégager le chemin pour l'arrivée du Père Noël, car le traîneau prenait presque toute la largeur de la route. Oui-Oui avait laissé sa voiture devant chez lui. Il la rentra donc bien à l'abri dans le garage. Mais il laissa la porte ouverte pour qu'elle ne se sente pas à l'écart et puisse klaxonner au bon moment, au passage du Père Noël.

Puis il se posta à la grille du jardin. Il vit d'abord arriver Potiron sur sa bicyclette. Le gendarme interdisant de circuler sur la route, le nain était obligé de rouler sur le trottoir.

« Bonjour, Potiron. Je suis bien content de te voir, dit Oui-Oui. Tiens ! Pourquoi n'as-tu pas mis ta cape neuve ?

— Je la garde pour ce soir, répondit Potiron. Comment trouves-tu mon nouvel habit ?

— Superbe! fit Oui-Oui en dévorant son ami des yeux.

Quand même, cela me fait drôle de te voir habillé de rouge des pieds à la tête. Seul ton bonnet n'a pas changé. Oh! écoute. Les gens crient là-bas, au bout de la rue. Et j'entends un bruit de grelots : c'est le Père Noël qui arrive!»

En effet, c'était le Père Noël. Oui-Oui, tout joyeux, se mit à gambader de long en large. Il marcha sur les pieds de Potiron qui ne le remarqua même pas, tant il était joyeux lui aussi.

Le bruit des grelots se fit de plus en plus fort : Diling! Diling! Diling!

Puis Oui-Oui aperçut l'attelage de rennes. Comme ils étaient beaux avec leurs grands bois luisants!

Enfin apparut le Père Noël, installé dans son traîneau. Sa bonne figure rouge était toute souriante et ses yeux bleus étincelaient. Il saluait la foule de la main, tandis que la pèlerine de son manteau rouge flottait derrière lui dans le vent.

« Diling! Diling! Hourra!

Hourra! Vive le Père Noël! Diling! Diling! Soyez le bienvenu! Hourra! Hourra! Diling!»

Quel vacarme! On ne s'entendait plus au milieu des cris d'enthousiasme et du tintement des grelots. La voiture de Oui-Oui se mit aussi de la partie : «Tut! Tut!» Elle sortit toute seule de son garage et vint se poster derrière Oui-Oui et Potiron qui ne s'en aperçurent même pas.

Le Père Noël passa devant eux, agitant la main et souriant toujours. Puis le traîneau disparut au bout de la rue. Oui-Oui poussa un gros soupir.

« Comme il a l'air gentil ! s'écria-t-il. Tu ne peux pas t'imaginer ce qu'il me plaît. Je voudrais tant lui parler ou faire quelque chose pour lui ! »

Potiron se mit à rire.

« Tu pourras l'apercevoir ce soir, dit-il. C'est tout. Mais tu ne pourras certainement pas lui parler ni faire quelque chose pour lui. C'est quelqu'un de très, très important, tu sais.

— Oh ! je sais bien. D'ailleurs, tu te rappelles, je le dis dans ma chanson, fit Oui-Oui en hochant la tête. Je suis content qu'on la chante ce soir au Père Noël. Il ne saura pas que c'est moi qui l'ai faite, mais moi je le saurai. Cela me suffit.

— Bon. Eh bien, passe me chercher à six heures et demie pour me conduire chez Topinambour. Il habite dans un champignon, comme moi, mais le sien est bien plus gros. Et... tu verras ma belle cape neuve.

— Entendu. Oh! Potiron! Quelle journée merveilleuse! Je crois que je sens déjà une autre chanson qui me monte à la tête.

— Alors, calme-toi : tu risquerais de la mélanger avec la première! répliqua Potiron en enfourchant sa bicyclette. Au revoir, Oui-Oui. A tout à l'heure!»

Chapitre 4

Chez Topinambour

Ce soir-là, à l'heure convenue, Oui-Oui était fin prêt. Mme Bouboule vint faire un petit tour d'inspection pour voir s'il avait terminé sa toilette et mis des vêtements propres. Elle redressa son foulard jaune et s'assura qu'il s'était bien lavé les oreilles.

« Bon. Cela ira. As-tu un

mouchoir propre?

— Oh! j'ai complètement oublié!» s'exclama Oui-Oui. Et il courut en chercher un.

«Vous vous rendez compte, madame Bouboule! Si le Père Noël m'avait regardé juste au moment où je me mouchais dans un mouchoir sale! Quel désastre!

— Je n'ose pas y penser, répondit Mme Bouboule. Là, maintenant tu es parfait.»

Elle l'embrassa sur les deux joues. Il monta alors dans sa voiture, si brillante que Mme Bouboule en avait mal aux yeux.

Oui-Oui se rendit dans la forêt, jusqu'au champignon où Potiron avait installé sa maison. Il s'arrêta devant la porte et klaxonna : « Tut! Tut! »

Potiron passa la tête par la fenêtre.

« Entre vite! Viens voir ma belle cape toute neuve! » cria-t-il.

Oui-Oui pénétra à l'intérieur et aperçut... Potiron drapé dans une somptueuse cape rouge.

« Oh! Tu es magnifique!

s'écria-t-il émerveillé. Pourquoi ne portes-tu pas une cape tous les jours ?

— Tu n'y penses pas. Je me prendrais sans cesse les pieds dedans, fit Potiron. Et puis, elle serait vite couverte de boue. Voilà. Je suis prêt. »

Il sortit de la maison, sa cape superbement déployée derrière lui. Hélas ! à peine eut-il fait trois pas dans le jardin qu'une ronce l'agrippa au passage. Il dut s'arrêter pour décrocher la cape.

Quelques mètres plus loin, Potiron s'accrocha à un fil de fer barbelé. Cette fois-ci, Oui-Oui dut venir à son secours et l'aider à se dégager.

«Je vais être obligé de relever cette maudite cape jusqu'à la voiture, grommela Potiron impatienté. J'espère que cela ne va pas continuer de cette façon toute la soirée.»

Aussitôt dit, aussitôt fait. Potiron se hâta vers la voiture. Il y prit place pendant que Oui-Oui essayait d'arranger sa cape derrière lui : ainsi, il ne risquerait pas de s'asseoir dessus et de la froisser.

La voiture démarra. Mais

bientôt le vent s'engouffra dans la cape qui s'envola et se mit à claquer dans le vent comme une grande voile rouge. Si vous aviez vu l'air ébahi des lapins ! Quant à Potiron, il fut bien content d'arriver.

« Nous y voilà, dit-il. Comment trouves-tu la maison de Topinambour ? N'est-elle pas magnifique ? »

Oui-Oui ouvrait de grands yeux. C'était vraiment le plus gros champignon qu'il eût jamais vu.

« Topinambour l'a un peu saupoudré de poudre de perlimpinpin. Voilà pourquoi il est si haut, expliqua Potiron. Si tu savais comme c'est confortable à l'intérieur !

— Où sont donc les rennes du Père Noël ? demanda Oui-Oui. Ah ! oui. Je les vois. Ils sont attachés aux arbres, là-bas. J'entends même leurs grelots : Diling ! Diling !

— Maintenant, attends-moi ici jusqu'à ce que nous ayons fini de dîner, déclara Potiron. Avec un peu de chance, tu verras peut-être le Père Noël jeter un coup d'œil par la fenêtre. C'est

tout ce que je peux faire pour toi.

— Quand lui chantera-t-on ma petite chanson ? demanda Oui-Oui inquiet. J'espère que tu n'as pas oublié notre projet.

— Non, bien sûr. M. Culbuto, Mlle Chatounette, M. Jumbo, les Bouboule et Léonie Laquille doivent venir à huit heures et demie. Si tu veux, tu pourras te placer devant eux et faire le chef d'orchestre.

— Crois-tu que je saurai ? fit Oui-Oui. C'est très difficile.

— Penses-tu ! répondit Potiron. Tu n'as qu'à battre

la mesure, comme cela.

— Alors, j'essaierai. Attends, Potiron. Je vais t'aider. Ta cape est en train de s'entortiller. Si tu veux, je vais t'accompagner jusqu'au seuil en la soulevant pour qu'elle ne traîne pas par terre.

— Entendu. Ma foi, nous allons avoir fière allure. »

Potiron, majestueux, s'avança vers la porte, suivi de Oui-Oui qui portait solennellement le bas de sa cape. Topinambour vint leur ouvrir. C'était le portrait de son frère. Seules les oreilles étaient différentes, plus petites que celles de Potiron.

« Tiens, bonjour, Oui-Oui,

dit-il. Je suis bien content de te voir. Entre donc, Potiron. Le Père Noël t'attend. »

Potiron entra dans la maison et la porte se referma au nez de Oui-Oui. Le pantin soupira tristement. Comme il aurait voulu pouvoir entrer aussi ! Il se serait blotti dans un tout petit coin sombre et aurait écouté parler le Père Noël. Hélas ! Il n'avait même pas droit à cela. Il n'était que Oui-Oui, un petit bonhomme en bois avec une tête à ressort. Il n'était pas quelqu'un de très important, lui...

Il retourna vers sa voiture et monta dedans. Il était

décidé à attendre là jusqu'à l'arrivée des chanteurs.

Il ne quitta pas des yeux la fenêtre de Topinambour. Mais pas une seule fois le Père Noël ne vint jeter un coup d'œil dehors. Oui-Oui était horriblement déçu.

A huit heures et demie, il entendit ses amis arriver et bondit hors de sa voiture.

« Maintenant, fit-il, on va voir ce qu'on va voir ! Je vais faire écouter ma chanson au Père Noël. Je serai chef d'orchestre, comme dit Potiron. Je me sentirai enfin quelqu'un de très important. Et même si ce n'est pas vrai, cela m'est bien égal ! »

Chapitre 5

Un événement inattendu

M. Bouboule fit mettre les chanteurs en ligne. Oui-Oui se plaça en face d'eux, tenant à la main une baguette qu'il avait trouvée dans un fossé. Il se sentait très intimidé : tout le monde avait les yeux fixés sur lui.

Soudain, il brandit sa baguette.

« Ho !... » entonnèrent les chanteurs. Et ils continuèrent :

Quelqu'un de très important
Va venir nous voir, mes enfants...

Ah ! mes amis ! Si vous aviez pu les entendre chanter en chœur, de toute leur voix : « Vive le Père Noël ! »

La porte s'ouvrit et... le Père Noël en personne apparut sur le seuil. Il avait un grand sourire et ses yeux bleus étincelaient.

« C'est charmant ! s'écria-t-il. Puis-je vous demander lequel de vous a composé cette excellente chanson ?

— C’est Oui-Oui, notre chauffeur de taxi», répondit Mlle Chatounette en le poussant en avant.

«Il compose souvent de petites chansons, ajouta-t-elle.

— Voici donc notre musicien», dit le Père Noël.

Il fit un tel sourire à Oui-Oui que celui-ci en eut le souffle coupé. Le Père Noël lui tendit la main. Le pantin la serra, tout rougissant.

« Ainsi, tu es chauffeur de taxi, continua le Père Noël. Où as-tu garé ta voiture ? »

Du coup, Oui-Oui perdit sa langue et mit un bon moment à la retrouver.

« Ici », dit-il enfin en montrant du doigt sa voiture.

« Tut ! Tut ! » klaxonna-

t-elle. Et elle fit clignoter ses phares.

« Quelle charmante petite

auto! s'exclama le Père Noël. Comme elle est propre et brillante! Que j'aimerais me promener au Pays des Jouets dans un taxi comme celui-là au lieu de prendre mon vieux traîneau démantibulé. C'est tellement ennuyeux d'avoir à chercher chaque soir une étable pour mes rennes!

— Oh! s'écria Oui-Oui rougissant plus que jamais. Oh! Père Noël, je vous en prie, prenez ma voiture tant que vous serez au Pays des Jouets. Vous verrez, elle est très facile à conduire.

— C'est fort gentil de ta

part, répondit le Père Noël. Ce qui me plairait encore plus, c'est d'être le passager au lieu de conduire moi-même. Mais je suis sot : tu n'as certainement aucune envie de venir avec moi pour me servir de chauffeur. »

Oui-Oui en perdit à nouveau sa langue. Impossible de prononcer un mot. Il ne pouvait pas en croire ses oreilles. Il restait là, regardant le Père Noël avec des yeux ronds.

Potiron, très agité, prit la parole :

« Monsieur le Père Noël, le petit Oui-Oui a perdu sa langue parce qu'il est très ému. Mais, bien sûr, il ne demande qu'à vous conduire où vous voudrez. Il viendra vous prendre ici demain matin, à neuf heures. N'est-ce pas, Oui-Oui ? »

Le pantin hocha la tête si vite que le Père Noël en eut le vertige. Il se mit à rire et lui donna de petites bourrades amicales. Puis il rentra chez Topinambour.

« Oh ! » fit Oui-Oui. Et il en tomba assis par terre.

« Oh ! Ce n'est pas possible. Je rêve. Mais non... C'est

vrai. C'est bien vrai : je vais faire un voyage avec le Père Noël. »

Chapitre 6

Un voyage avec le Père Noël

Le lendemain matin, à neuf heures sonnantes, Oui-Oui arriva devant la maison de Topinambour. Le Père Noël en sortait à ce moment précis : lui aussi, il était toujours à l'heure. Il sourit à Oui-Oui et s'installa dans la voiture à côté de lui. Le petit pantin était un peu serré, car le Père Noël était de forte corpulence.

« Voyons, voyons!... fit le Père Noël en consultant son carnet. Je dois d'abord me rendre au village des Cent Mille Ballons. Il paraît que certains de ceux que j'ai donnés aux enfants l'an dernier ne rebondissaient pas bien. Je voudrais éclaircir cette histoire. »

Oui-Oui prit donc la route. Il ne se sentait pas peu fier et son grelot tintait sans arrêt.

« Tout comme ceux de mes rennes! » dit le Père Noël. Et il éclata d'un rire sonore.

Du coup, Oui-Oui perdit sa timidité. Il se mit à

bavarder avec le Père Noël et lui raconta son histoire : il avait été fabriqué par un vieux sculpteur ; le père Taillebois, mais, comme il se sentait trop seul, il s'était enfui au Pays des Jouets.

« Maintenant, j'ai une petite maison, un garage, une auto et beaucoup d'amis, dit Oui-Oui d'un air joyeux.

— Beaucoup d'amis ! C'est cela le plus important, approuva le Père Noël. Tiens ! Serions-nous déjà au village des Cent Mille Ballons ? Très bien. Pourrais-tu m'appeler le maire, s'il te plaît ? Je voudrais lui parler. »

De petites balles accoururent en bondissant

pour voir quel était ce visiteur. Lorsqu'elles aperçurent le Père Noël, elles se mirent à sauter et à rebondir par-dessus la voiture.

Le maire était un énorme ballon de toutes les couleurs. Vous savez, un de ceux avec lesquels on joue sur la plage. Il écouta attentivement le Père Noël, puis lui promit de veiller à ce que toutes les balles et tous les ballons prennent de sérieuses leçons pour apprendre à rebondir avant d'être envoyés au Pays des Hommes.

« Maintenant, en route pour Guignolville ! commanda le Père Noël. Les enfants ne me font que des compliments à propos de leurs guignols. Ils les aiment beaucoup. Cela mérite vraiment des félicitations. »

Ils se dirigèrent donc vers Guignolville. M. Guignol et son ami Gnafron furent très fiers de recevoir la visite du Père Noël.

« Votre ville est fort bien tenue, lui dit le Père Noël, je suis content de vous. Dites-

moi : un petit garçon m'a demandé des décors pour son théâtre de marionnettes. Croyez-vous pouvoir me trouver cela ?

— Certainement, répondit M. Guignol. Nous avons ici un grand atelier où nous en fabriquons de très jolis. Je prends bonne note de votre

commande, Père Noël. Puis-je vous offrir un verre de sirop de groseille ?

— Je vous remercie beaucoup. Mais j'ai une foule de choses à faire aujourd'hui. Il faut maintenant que j'aille à Dadaville. »

Ils continuèrent donc leur route. La petite voiture se montra digne d'éloges. Elle ne renversa aucun bec de gaz, aucun poteau télégraphique, évita les flaques d'eau et contourna les bosses pour ne pas secouer ses passagers.

« Quelle confortable petite voiture ! s'écria le Père Noël. Tiens ! J'aperçois un cheval à bascule qui vient vers nous à toute allure. Ah! l'imprudent! Il a failli se jeter sous nos roues.»

Chapitre 7

Oui-Oui s'amuse bien

Le cheval à bascule les dépassa à toute vitesse. Quelle ne fut pas sa surprise d'apercevoir le Père Noël, installé à côté de Oui-Oui ! Il eut vite fait de répandre la nouvelle. Alors une foule de chevaux, à bascule ou à roulettes, grands et petits, accoururent pour recevoir les visiteurs.

« Hi-i-i-i ! fit un grand cheval pommelé qui fouettait l'air de sa belle queue. Je suis très honoré de vous voir, Père Noël. J'espère que vous aurez encore besoin d'un grand nombre d'entre nous pour Noël prochain.

— Ma foi, oui, répondit le Père Noël. Les enfants aiment toujours autant les chevaux à bascule. Mais, cette année, je les voudrais plus petits que d'habitude. Les gens n'ont guère de place à présent, dans les appartements modernes, pour ranger de trop gros jouets.

— Entendu », assura le grand cheval à bascule.

Quelle merveilleuse journée! Oui-Oui se sentait très fier de promener le Père Noël dans son taxi. Il le fut plus encore lorsqu'ils s'arrêtèrent pour goûter ensemble. Du coup, il fit une agréable découverte : le Père

Noël aimait les glaces autant que lui.

Ce soir-là, ils s'arrêtèrent pour coucher à Toupieville.

Ils entendirent les toupies tourner pendant la nuit entière. Elles étaient tellement émues par la venue du Père Noël qu'elles ne pouvaient pas s'endormir.

« Elles font un bruit très agréable, n'est-ce pas, Père Noël? dit Oui-Oui d'une voix engourdie. On dirait un essaim d'abeilles qui bourdonnent... Oh! là! là! Que j'ai sommeil! »

Le lendemain matin, ils se

rendirent à Locobourg, le pays des locomotives en bois. Oui-Oui profita de l'occasion pour monter sur l'une d'elles. Lui qui avait toujours rêvé de conduire un train! Si vous l'aviez vu passer en trombe aux commandes de son bolide! L'imprudent! Le Père Noël eut juste le temps de s'écarter.

Puis ils firent un tour au village des Poupées. Oui-Oui

trouva toutes les petites maisons très jolies. De minuscules poupées accoururent pour recevoir le Père Noël.

« Je voudrais seulement vous signaler que certaines d'entre vous ne sont pas bonnes ménagères, déclara-t-il. Elles ne savent ni épousseter, ni frotter les parquets, ni laver les carreaux. Il est grand temps d'apprendre.

— Oui, Père Noël! Nous apprendrons, nous vous le promettons!» crièrent les poupées.

Ils se rendirent enfin à Quillebourg. A leur arrivée, une foule de quilles se précipitèrent devant la voiture. Oui-Oui donna un grand coup de frein. Quelle émotion!

«Continue. N'aie pas peur, dit le Père Noël. Tu sais bien que les quilles sont faites pour être renversées. Cela les amuse même beaucoup.»

Oui-Oui fonça à toute vitesse au milieu des quilles qui poussaient des cris perçants. Elles tombèrent pêle-mêle, riant aux larmes.

« Maintenant, annonça le Père Noël, je voudrais me rendre dans un endroit où je ne suis jamais allé. Cela s'appelle l'usine O. P. Je me demande ce que cela signifie : O. P. Je sais qu'il s'agit de nouveaux jouets. Mais qu'est-ce que cela peut

bien vouloir dire ? O. P. ?
Bizarre, bizarre. »

Chapitre 8

Une surprise pour Oui-Oui

Le Père Noël aperçut un petit lapin et lui demanda le chemin de l'usine O. P.

« Vous descendez dans le creux, là-bas, et c'est de l'autre côté de la colline, répondit timidement le lapin. Il paraît qu'on y fabrique de nouveaux jouets. Tous les enfants en veulent. »

Oui-Oui prit la route indiquée. Ils arrivèrent bientôt devant une petite usine qui avait exactement la forme d'un château.

« Va jusqu'à la porte, arrête-toi et donne quelques coups de klaxon, ordonna le Père Noël. Les jouets sortiront pour savoir ce qui se passe. Je verrai s'ils me plaisent et si je peux les offrir aux enfants. »

Oui-Oui gara sa petite voiture à la porte de l'usine et klaxonna très fort : « Tut ! Tut ! »

Qu'arriva-t-il alors ? Devinez ! Des centaines de petits bonshommes se ruèrent hors du château. Et quels petits bonshommes! Certains ressemblaient exactement à Oui-Oui, en bien plus petit. Les autres étaient des Potiron en miniature.

Oui-Oui ne pouvait en croire ses yeux.

« Les petits Oui-Oui ont même des grelots à leur bonnet, dit-il stupéfait. Et les petits Potiron portent des barbes et des bonnets rouges, tout comme le vrai Potiron.

— Maintenant, je comprends! s'exclama le Père Noël. O. P., cela signifie Oui-Oui et Potiron. Je vois que tout le monde veut avoir un petit Oui-Oui et un petit Potiron. Je me demande

O.P.

comment cela se fait ?

— Vous savez, Père Noël, il y a beaucoup de livres qui racontent mes aventures. Les enfants ont dû les lire. Oh ! quand je vois ces petits bonshommes qui me ressemblent, je me sens quelqu'un de très, très important.

— Prends garde de ne pas te sentir trop important quand même, fit le Père Noël. Tu ne serais plus le gentil Oui-Oui que les enfants aiment tant. »

Il examina de plus près les petits bonshommes qui

gambadaient autour de la voiture.

« Décidément, ils me plaisent beaucoup, déclara-t-il. Dommage que chacun n'ait pas sa petite voiture comme toi. J'en ferai la remarque à l'usine. »

« Diling ! Diling ! » chantaient les minuscules grelots des minuscules pantins.

« Diling ! Diling ! » répondait très fort le grelot de Oui-Oui aussi fier que son propriétaire.

« Pouvons-nous faire un tour avec vous ? » demandèrent les petits jouets. Et ils commencèrent à escalader la voiture.

« Entendu, mais pas longtemps, répondit le Père Noël. Allons-y, Oui-Oui. »

Ils se mirent en route. La voiture était couverte de minuscules bonshommes : des Oui-Oui avec leur grelot, des Potiron avec leur barbe et leur bonnet rouge. Il y en avait partout, partout, partout.

Chapitre 9

Grande fête à Miniville

Le temps était venu de rentrer à Miniville. Quel dommage! Oui-Oui s'amusait tellement avec le Père Noël! Le vieil homme était si gai et si gentil qu'on ne pouvait s'empêcher de l'aimer. Quant au Père Noël, il semblait apprécier beaucoup la compagnie du petit pantin.

« Nous allons organiser une

grande fête pour notre retour, déclara-t-il. Oui, j'ai bien envie d'une fête. Et toi, Oui-Oui ?

— Moi, j'en ai toujours envie, répondit Oui-Oui. C'est comme pour les glaces : je n'en refuse jamais une. Oh ! là ! là ! Que de choses je vais avoir à raconter à Potiron ! »

Potiron fut content de les voir revenir sains et saufs. Quand le Père Noël lui raconta que Oui-Oui avait été un excellent conducteur, il serra son ami très fort dans ses bras. Oui-Oui en suffoquait comme un poisson rouge hors de son bocal. Il mit cinq bonnes minutes à reprendre son souffle.

« Nous allons faire une grande fête, déclara Oui-Oui.

Pourrais-tu te charger de l'organiser, Potiron ? Topinambour t'aiderait.

— Entendu ! Demain elle sera prête ! s'écria Potiron rayonnant. Elle aura lieu sur la place du marché. Ainsi la ville entière pourra y assister. Je vais aller chercher la grosse cloche et annoncer partout la nouvelle!»

Aussitôt dit, aussitôt fait. Potiron parcourut les rues de la ville, agitant la grosse cloche à toute volée.

« Dong! Dong!... Mesdames et messieurs, approchez! Approchez!»

La nouvelle se répandit

comme une traînée de poudre : Oui-Oui et le Père Noël étaient de retour et organisaient une grande fête. Quelle agitation!

« Ce sera l'une des plus belles fêtes de Miniville, dit Potiron. Je mettrai ma cape rouge. Et si je me prends les pieds dedans, je l'enroulerai autour de ma taille. »

On invita aussi les rennes, et Topinambour passa un long moment à astiquer leurs bois. A vrai dire, tout le monde fut convié, même les lapins de la forêt.

La fête débuta à trois heures. Une immense table avait été dressée au beau milieu de la place du marché. Il y avait tant de bonnes choses à manger qu'elle ployait et tremblait sous le poids. Pourtant, personne ne s'en inquiéta.

Le Père Noël trônait au bout de la table. Oui-Oui était assis à sa droite. Il se sentait si fier qu'il ne pouvait dire un mot. Mais son grelot tintait sans arrêt et sa petite voiture, garée près de lui ne cessait de klaxonner.

« Diling ! Diling !... Tut ! Tut !... Diling ! Diling !... » Quel vacarme !

Le Père Noël se leva et prit la parole.

« Je ne fais jamais de longs discours, commença-t-il. Je veux simplement vous dire

B
M
J

que Oui-Oui est l'un des plus gentils petits pantins que j'aie jamais rencontrés. En tout cas, c'est certainement le meilleur conducteur.

— Hourra! Hourra! crièrent les jouets.

— Oui-Oui! Un discours! Un discours!» lancèrent M. Bouboule et M. Polichinelle.

Oui-Oui commença à trembler de la tête aux pieds. Potiron dut l'aider à se lever.

«Je... je ne sais pas quoi dire», balbutia le pantin.

Soudain il se redressa, la figure épanouie.

«Ça y est! Je sais. Je vais vous chanter une chanson.

J'en sens justement une qui me monte à la tête. »

Je ne suis qu'un petit bonhomme,
Tout petit, petit, petit.
J'ai un grelot, j'ai une auto,
Très jolis, jolis, jolis,
Et une maison de bois,
Bien à moi, à moi, à moi.
Mais je ne suis en somme
Qu'un tout petit bonhomme.
Pourtant, n'oubliez pas,
J'ai un cœur gros comme ça
Dans lequel j'ai mis
Mes amis, amis, amis.

Bravo, Oui-Oui! Ta chanson est magnifique et vaut bien mieux qu'un discours.

Table

BIBLIOTHÈQUE MINI-ROSE

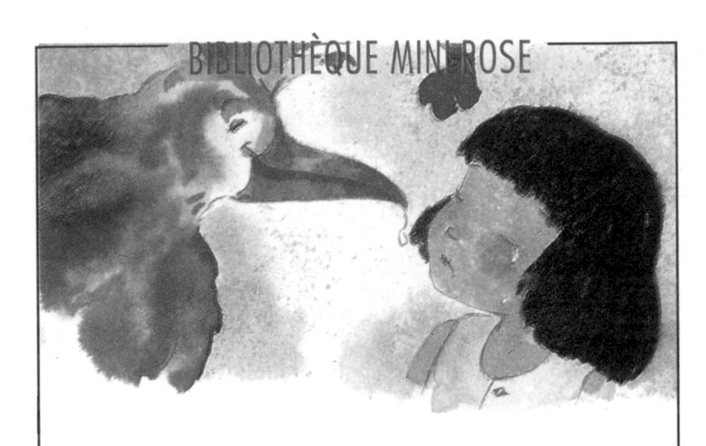

La belle histoire de Larmal'œil
Larmal'œil et la fourmi chanteuse
Larmal'œil et le lion Verdepeur
Larmal'œil et le roi Chocolat
Larmal'œil et le marchand de secrets
Larmal'œil et la poupée perdue
Larmal'œil et la petite étoile

Larmal'œil ?
C'est le drôle de nom d'une drôle de petite fille qui ne pleure jamais... sauf, parfois, de drôles de larmes en forme de têtard, d'étoile, ou bien en chocolat. A chaque titre, sa surprise, selon l'humeur d'Olivier de VLEESCHOUWER et de Francine VERGEAUX, ses créateurs.

BIBLIOTHÈQUE MINI-ROSE

Quand Basile prononce ces quelques mots :

Pique en tête
Oeil de bille
Nez qui frétille

il se passe toujours des
choses extraordinaires.
Normal : BASILE est magicien.
Mais personne ne le sait.
Sauf Véronique M. LE NORMAND
qui l'a inventé, Catherine REISSER
qui l'a dessiné... et vous, petits lecteurs !
Vite, vite, venez découvrir dans la MINI-ROSE
ce nouvel ami vraiment pas comme les autres !

Basile apprenti magicien
Basile et le rat Cadabra
Basile et le supplice de la grimace
Basile à Sans-Pantalon
Basile et la scourloutoune

Achevé d'imprimer par Ouest Impressions Oberthur
35000 Rennes - N° 13859 - Mars 1993 - Dépôt éditeur n° 3719
20.21.8760.05.9 - ISBN 2.01.019501.9

Loi n° 49-956 du 16 juillet 1949 sur les publications destinées à la jeunesse
Dépôt : avril 1993